초등 수학 핵심파트 집중 완성

교과특강

7세~초1

P1

속성과 분류

사고력
문제해결력

측정·규칙성
자료와 가능성

에듀히어로 Edu HERO

"진짜 히어로는 우리 아이들입니다!"

에듀히어로는
우리 아이들이 밝고 건강한 내일을 꿈꿀 수 있도록
긍정적이고 효과적인 교육 서비스를 제공하는 것을
최우선 목표로 하고 있습니다.

그 존재만으로도 든든한 히어로처럼 아이들의 곁에서 힘이 되어주고,
나아가 아이들 각자가 스스로의 인생 속 히어로가 될 수 있도록

우리는 진심과 열정을 다해 아이들과 함께 할 것을 약속 드립니다.

☕ 네이버 카페
교재 상세 소개와 진단 테스트
및 유용하게 풀 수 있는
학습 자료를 다운로드 해 보세요.

📷 인스타그램
에듀히어로 인스타그램을
팔로우하시면 다양한 이벤트와
신간 소식을 빠르게 만나보실
수 있습니다.

💬 카카오톡 채널
자녀 수학 공부 상담 및
자유로운 질문을 남겨 주세요.
함께 고민하고
답변해 드리겠습니다.

히어로컨텐츠 HEROCONTENS

발행일: 2022년 12월 　　**발행인:** 이예찬

기획개발: 두줄수학연구소

디자인: 4BD STUDIO 　　**삽화:** 1000DAY

발행처: 히어로컨텐츠

주소: 서울특별시 금천구 서부샛길 632, 7층(대륭테크노타운5차)

전화: 02-862-2220 　　**팩스:** 02-862-2227

지원카페: cafe.naver.com/eduherocafe 　　**인스타그램:** @edu__hero 　　**카카오톡:** 에듀히어로

초등 수학 핵심파트 집중 완성 교과특강

수학을 잘 하기 위해서는 1) 수와 연산 2) 도형 3) 측정 4) 규칙성 5) 자료와 가능성 등 초등 수학 5대 학습 영역을 고르게 학습해야 합니다.

다른 교과 과목에 비해 많은 시간을 수학을 학습하는 데 할애하고 있지만 아쉽게도 대부분은 연산 영역에 편중되어 있습니다.

최근 들어 '도형' 등 연산 이외의 다른 영역으로 학습을 확장하는 교재들이 출간되고 있지만 여전히 학년별로 다양한 학습 영역과 필수 주제를 체계적으로 안내해 주는 학습지는 많지 않은 것이 현실입니다.

그런 이유로 교과특강은 학년별 필수 주제를 기본 개념부터 응용, 사고력까지 충분하게 학습하고 훈련할 수 있도록 개발되었습니다

수학을 잘 하고 싶은 학생들에게 노력한 만큼의 성장을 이루어내는 데 교과특강은 좋은 토양과 밑거름이 되어줄 것입니다.

초등 수학 핵심파트 집중 완성 교과특강은

1. '자료 해석 능력'을 집중적으로 키웁니다.

앞으로의 학습은 주어진 표과 그래프를 보고 그 의미를 해석하고 추론하는 '자료 해석 능력'을 요구합니다. 실제로 초등 전학년 뿐만 아니라 중등 과정에서도 '자료 해석'은 학습자의 문제해결력을 확인하는 중요한 소재가 되고 있습니다. 다양한 표와 그래프를 이해하고 해석하는 학습은 초등 과정부터 미리 준비하고 집중적으로 훈련할 필요가 있습니다.

2. '측정', '규칙성' 등 필수 영역임에도 쉽게 지나칠 수 있는 주제를 체계적으로 학습합니다.

길이, 무게, 시간, 어림하기 등 초등 과정에서 쉽게 지나치기 쉬운 '측정'과 추론 능력을 길러주는 '규칙성'을 집중적으로 학습합니다.

3. 복습과 예습으로 학년과 학년 사이의 징검다리 역할을 합니다.

1학년에서 2학년, 2학년에서 3학년, 3학년에서 4학년 등 학년이 올라갈수록 특정 영역에서 수학이 갑자기 어려워지는 순간이 옵니다. 교과특강은 각 학년에서 반드시 짚고 넘어가야 하는 주제를 복습하면서 다음 학년을 위한 예습까지 할 수 있도록 개발되었습니다.

4. 문제해결력과 사고력을 길러줍니다.

기본적인 개념을 바탕으로 이를 응용하고 활용하는 문제해결력과 생각하는 힘을 길러줍니다.

초등 수학 핵심파트 집중 완성 **교과특강**은

7세부터 6학년까지 총 7단계 21권(단계별 3권)으로 구성되어 있으며 각 권은 하루에 1장씩 주 5회, 총 4주 간 체계적으로 학습할 수 있습니다.

매주 5일차의 학습이 끝난 뒤엔 '생각더하기'를 통해 창의력과 사고력을 기르고, 4주의 학습이 끝난 뒤엔 '링크'와 '형성평가'로 관련 주제를 학습하고 교과 수학을 완성할 수 있습니다.

대 상	단 계	구 성
7세 ~ 1학년	P	P1, P2, P3
1학년	A	A1, A2, A3
2학년	B	B1, B2, B3
3학년	C	C1, C2, C3
4학년	D	D1, D2, D3
5학년	E	E1, E2, E3
6학년	F	F1, F2, F3

〈교과 수학 시리즈 P단계 로드맵〉

에듀히어로의 교과 수학 시리즈를 체계적으로 학습하기 위한 로드맵입니다.

예습을 하며 집중적으로 학습하려면 '영역별 집중 학습'을,

교과서 진도에 맞추어 학습하려면 '교과 진도 맞춤 학습'을 권장드립니다.

[영역별 집중 학습]

1월		2월		3월		4월		5월	6월
교과연산 P0	교과도형 P1	교과연산	교과도형 P2	교과연산	교과도형 P3	교과연산	교과특강 P1	교과특강 P2	교과특강 P3

[교과 진도 맞춤 학습]

1월	2월	3월	4월	5월	6월	7월	8월	9월	10월
교과연산 P0	교과도형 P1	교과연산	교과도형 P2	교과연산	교과도형 P2	교과연산	교과특강 P1	교과특강 P2	교과특강 P3

교과특강은 교과 수학을 완성합니다.

주제별 학습

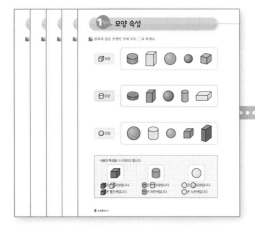

생각더하기

초등 수학을 주제별로 집중 학습합니다. 각 주차의 마지막에 있는 **생각더하기**로 문제해결력을 기릅니다.

링크

형성평가

주제별 학습과 연결하여 사고력과 창의력을 향상시킬 수 있는 내용을 학습합니다.

2회의 형성평가로 배운 내용을 잘 알고 있는지 확인합니다.

이 책의 차례

1주차

입체 모양의 속성

■ 왼쪽과 같은 모양인 것에 모두 ◯표 하세요.

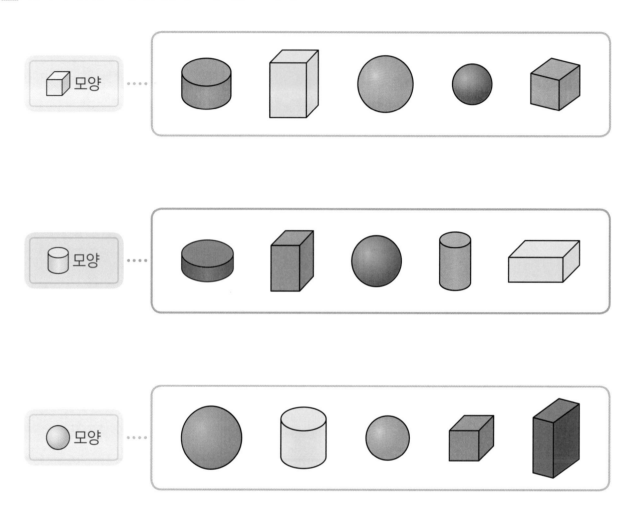

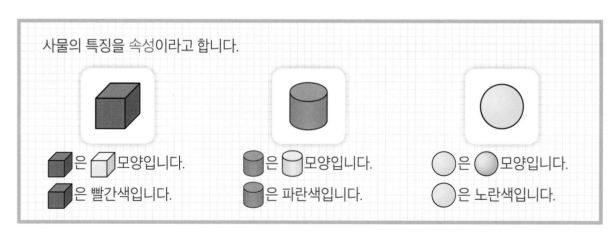

사물의 특징을 속성이라고 합니다.

🟥은 ⬜모양입니다.
🟥은 빨간색입니다.

🔵은 ⬜모양입니다.
🔵은 파란색입니다.

⚪은 ◯모양입니다.
⚪은 노란색입니다.

모양이 같은 것끼리 이어 보세요.

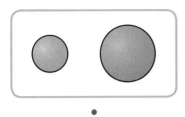   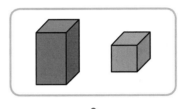   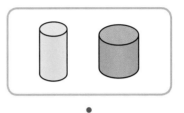

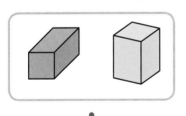   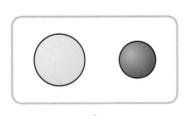   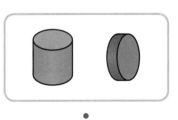

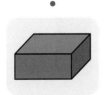

■ 왼쪽과 같은 색깔인 것에 모두 ◯표 하세요.

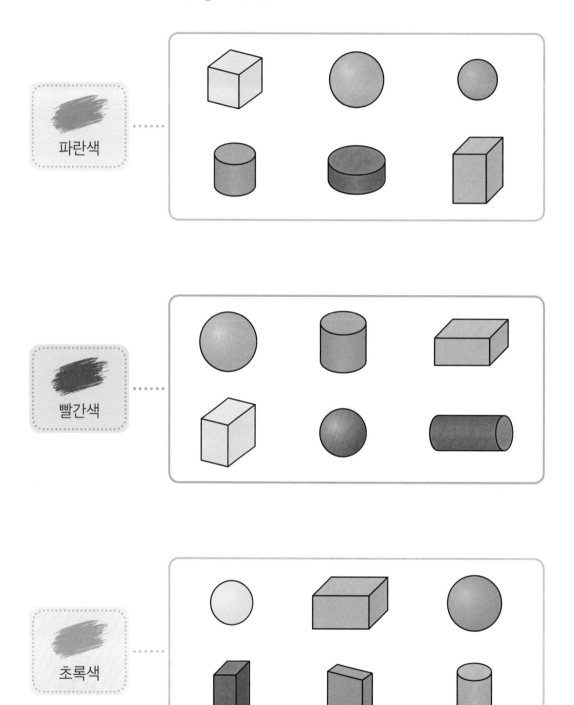

파란색

빨간색

초록색

■ 색깔이 같은 것끼리 이어 보세요.

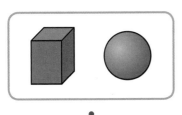

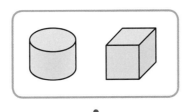

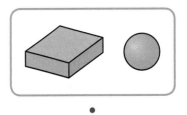

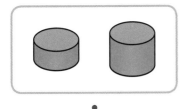

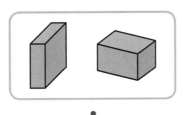

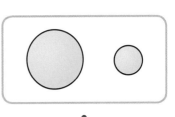

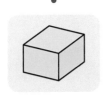

■ 알맞은 모양과 색깔 속성에 ◯표 하세요.

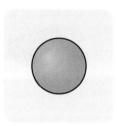

모양: (⬜ , ⬚ , ⚪)

색깔: (빨간색 , 파란색 , 초록색)

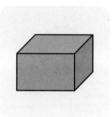

모양: (⬜ , ⬚ , ⚪)

색깔: (빨간색 , 파란색 , 초록색)

모양: (⬜ , ⬚ , ⚪)

색깔: (빨간색 , 파란색 , 초록색)

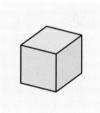

모양: (⬜ , ⬚ , ⚪)

색깔: (파란색 , 초록색 , 노란색)

모양: (⬜ , ⬚ , ⚪)

색깔: (파란색 , 초록색 , 노란색)

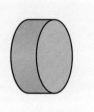

모양: (⬜ , ⬚ , ⚪)

색깔: (파란색 , 초록색 , 노란색)

두 가지 속성을 모두 가진 것을 찾아 ◯표 하세요.

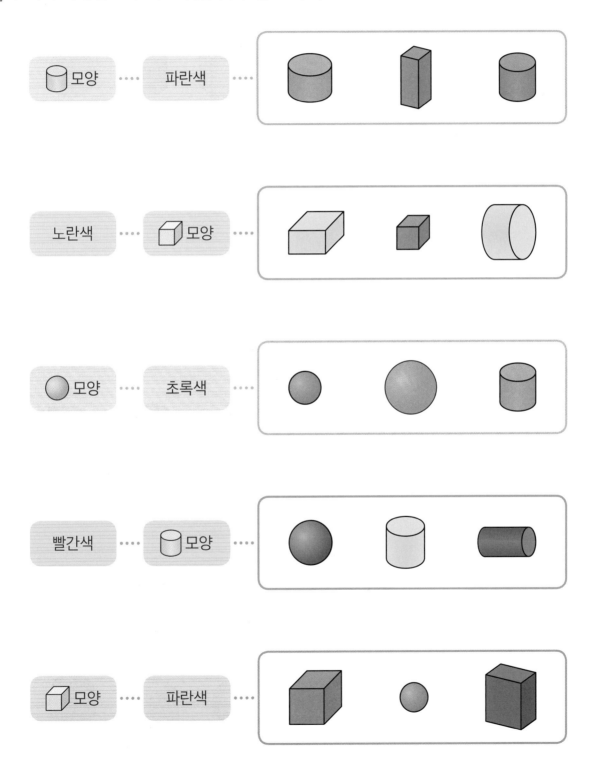

알맞은 것에 ◯표 하세요.

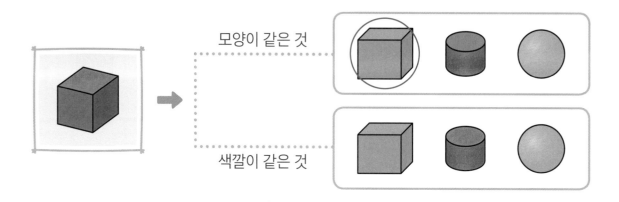

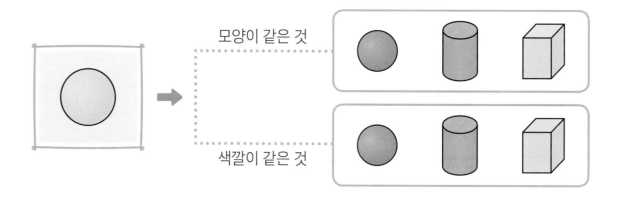

■ 물음에 답하세요.

모양이 같은 것끼리 모았습니다. 잘못 모은 것 하나를 찾아 ✕표 하세요.

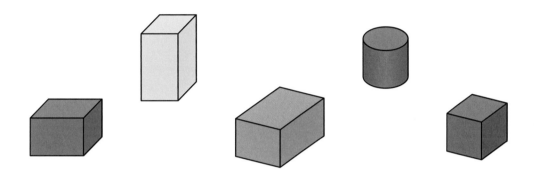

색깔이 같은 것끼리 모았습니다. 잘못 모은 것 하나를 찾아 ✕표 하세요.

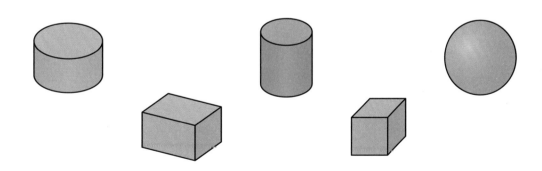

한 가지 속성이 같은 것끼리 모았습니다. 알맞게 이어 보세요.

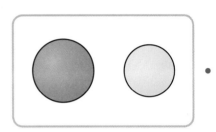 •

• ⬜ 모양입니다.

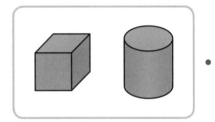 •

• 노란색입니다.

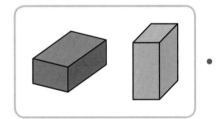 •

• ⚪ 모양입니다.

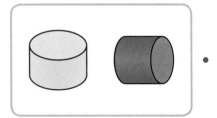 •

• 파란색입니다.

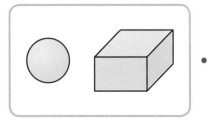 •

• ⬭ 모양입니다.

한 가지 속성이 같은 것끼리 모았습니다. 잘못 모은 것 하나에 ✕표 하세요.

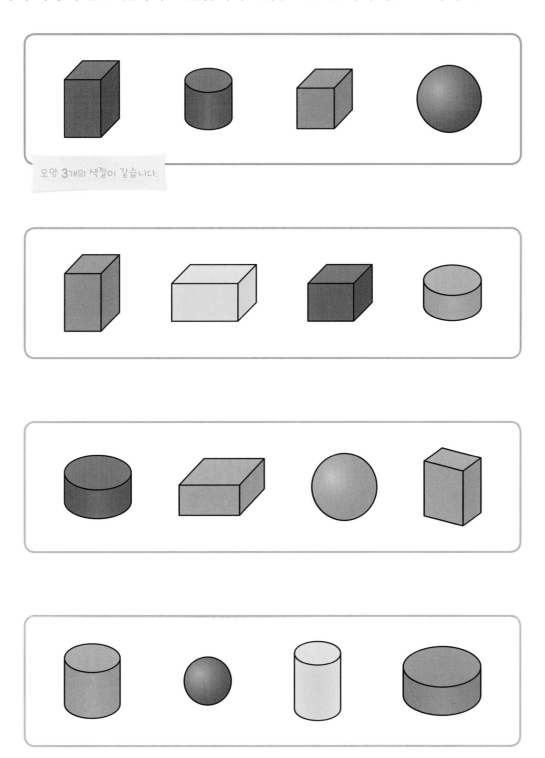

모양 **3**개의 색깔이 같습니다.

속성 릴레이

모양 또는 색깔 중 한 가지 속성이 같도록 입체 모양을 이어 놓았습니다.

? 에 들어갈 수 있는 모양을 찾아 모두 ◯표 하세요.

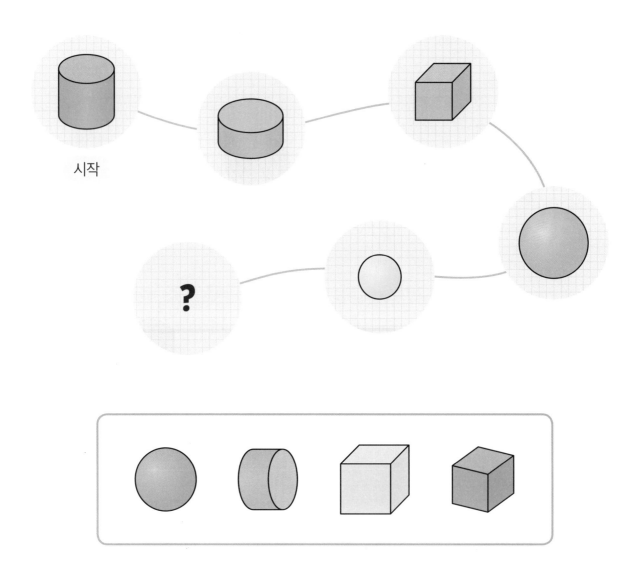

시작

2 주차

평면 모양의 속성

■ 단추는 모양, 색깔, 구멍 수의 속성이 있습니다. 알맞은 속성에 ○표 하세요.

모양: (■ , ▲ , ●)

색깔: (빨간색 , 파란색 , 초록색)

구멍 수: (2 , 4)개

모양: (■ , ▲ , ●)

색깔: (빨간색 , 파란색 , 초록색)

구멍 수: (2 , 4)개

모양: (■ , ▲ , ●)

색깔: (빨간색 , 파란색 , 초록색)

구멍 수: (2 , 4)개

모양: (■ , ▲ , ●)

색깔: (빨간색 , 파란색 , 초록색)

구멍 수: (2 , 4)개

단추는 모양, 색깔, 구멍 수의 속성이 있습니다.

모양: ■ 모양
색깔: 초록색
구멍 수: 2개

모양: ● 모양
색깔: 빨간색
구멍 수: 2개

모양: ▲ 모양
색깔: 파란색
구멍 수: 4개

단추의 모양, 색깔, 구멍 수의 속성을 알맞게 써넣으세요.

| | 모양 | 색깔 | 구멍 수 |

주어진 속성에 맞는 단추를 찾아 모두 ◯표 하세요.

△ 모양 ┈┈

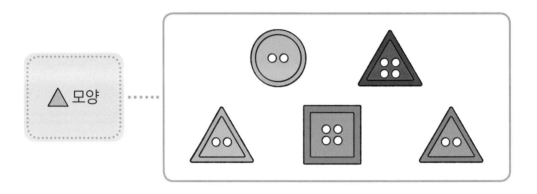

초록색 ┈┈

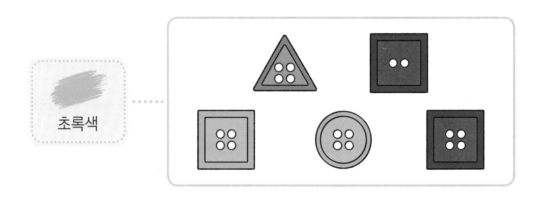

구멍 2개 ┈┈

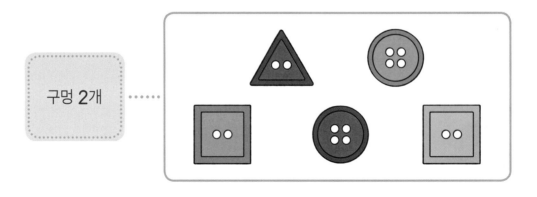

■ 물음에 답하세요.

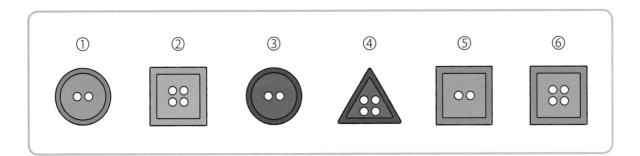

■ 모양인 단추의 번호를 모두 써 보세요. ☐ , ☐ , ☐

파란색인 단추의 번호를 모두 써 보세요. ☐ , ☐ , ☐

구멍이 **4**개인 단추의 번호를 모두 써 보세요. ☐ , ☐ , ☐

두 가지 속성을 모두 가진 단추를 찾아 이어 보세요.

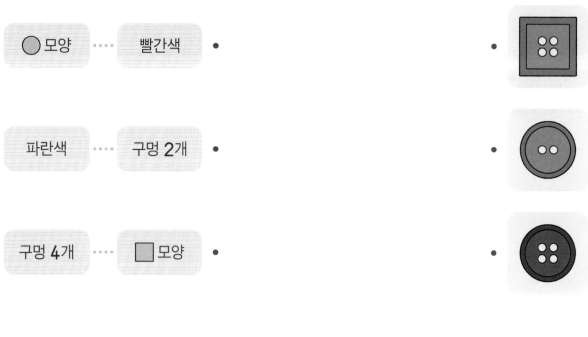

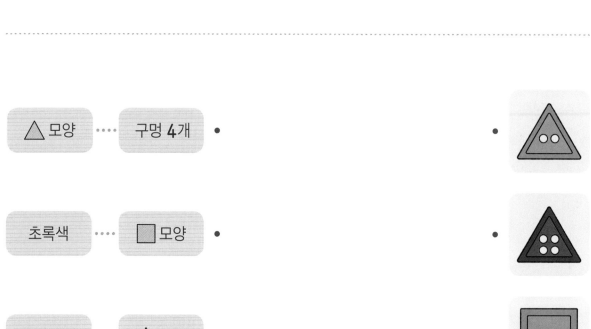

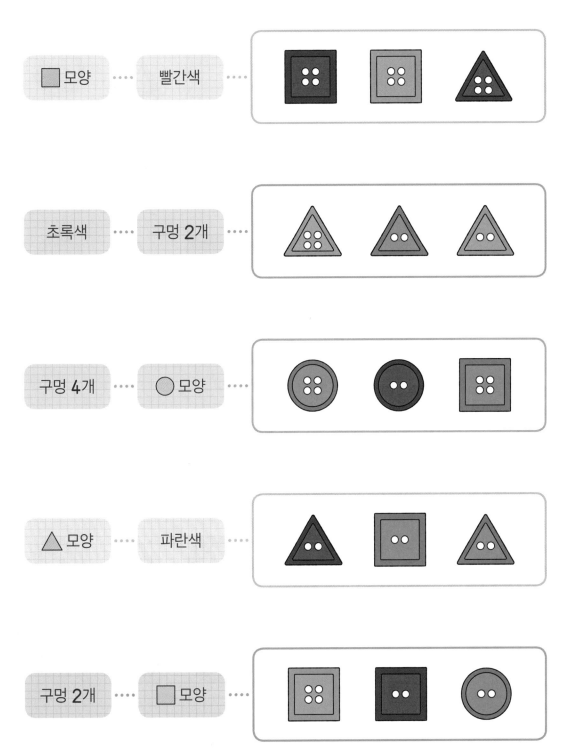

두 가지 속성을 모두 가진 단추를 찾아 ○표 하세요.

2주차_평면 모양의 속성 **25**

알맞은 단추에 ◯표 하세요.

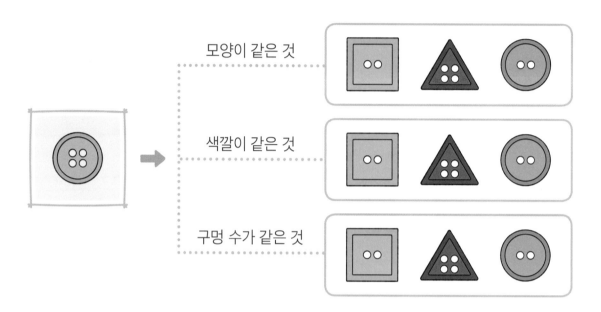

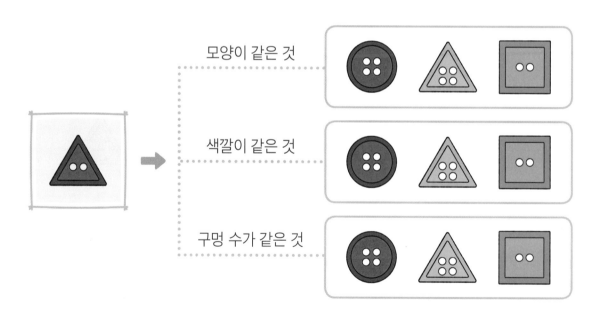

■ 물음에 답하세요.

모양이 같은 단추를 모았습니다. 잘못 모은 것 하나를 찾아 ✕표 하세요.

색깔이 같은 단추를 모았습니다. 잘못 모은 것 하나를 찾아 ✕표 하세요.

구멍 수가 같은 단추를 모았습니다. 잘못 모은 것 하나를 찾아 ✕표 하세요.

■ 세 단추에서 같은 속성을 찾아 이어 보세요.

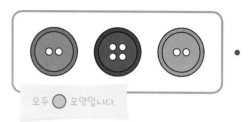

· · 구멍이 **2**개입니다.

· · ⬤ 모양입니다.

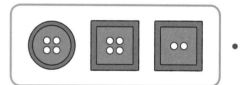

· · 구멍이 **4**개입니다.

· · ⬜ 모양입니다.

· · 파란색입니다.

■ 한 가지 속성이 같은 단추끼리 모았습니다. ? 에 들어갈 단추를 찾아 ○표 하세요.

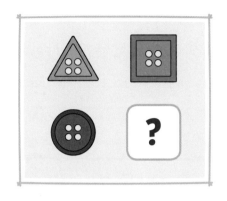

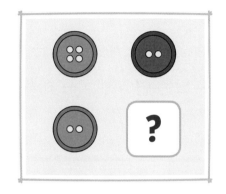

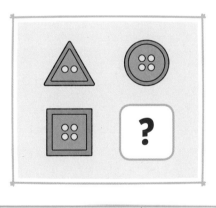

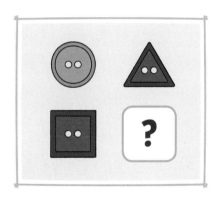

잘못 모은 단추

어떤 한 가지 속성이 같은 단추끼리 모았는데 단추 1개를 잘못 모았습니다.
잘못 모은 단추에 ✕표 하세요.

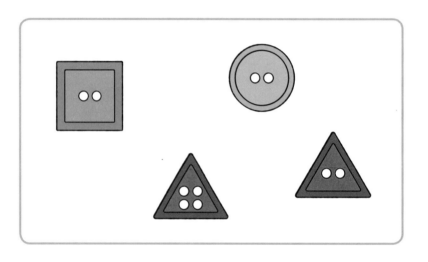

단추의 모양, 색깔,
구멍 수를 잘 살펴봐.

3 주차 분류하기 1

🔳 모양에 따라 분류합니다. 알맞게 이어 보세요.

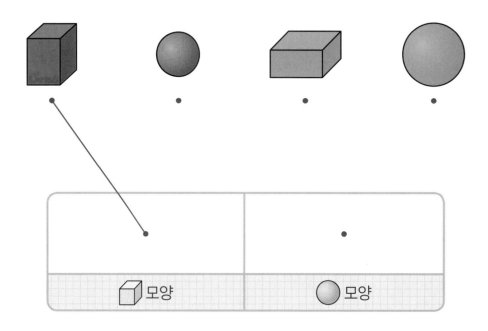

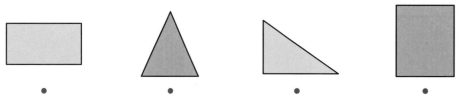

모양에 따라 분류합니다. 빈 곳에 알맞게 번호를 써넣으세요.

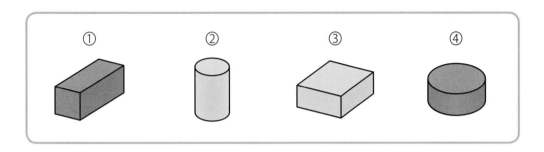

🛢️ 모양	⬜ 모양
②,	

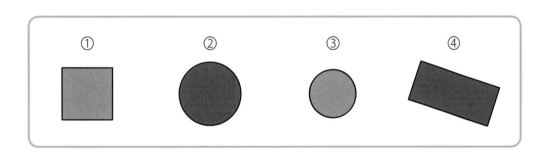

⬛ 모양	⚫ 모양

색깔에 따른 분류

색깔에 따라 분류합니다. 알맞게 이어 보세요.

•	•
파란색	빨간색

•	•
노란색	초록색

■ 색깔에 따라 분류합니다. 빈 곳에 알맞게 번호를 써넣으세요.

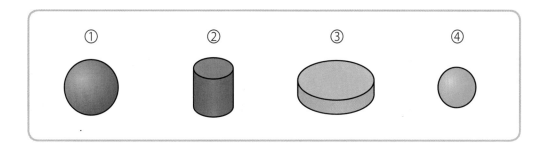

초록색	빨간색

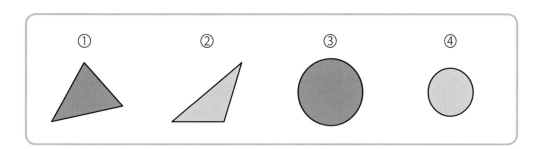

파란색	노란색

여러 가지 기준

여러 가지 기준에 따라 단추를 분류합니다. 빈 곳에 알맞게 번호를 써넣으세요.

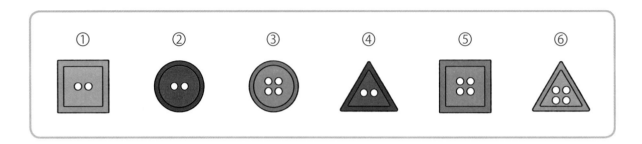

모양		
■ 모양	△ 모양	● 모양
①,		

색깔		
빨간색	파란색	초록색

구멍 수	
2개	4개

■ 여러 가지 기준에 따라 모양칩을 분류합니다. 빈 곳에 알맞게 번호를 써넣으세요.

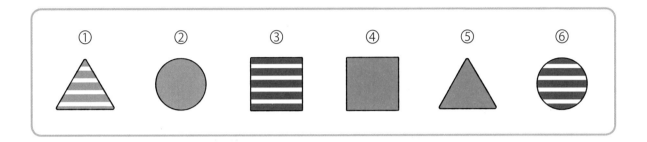

	모양	
⬛모양	△모양	⬤모양

	색깔	
빨간색	파란색	초록색

	무늬	
무늬가 있음	무늬가 없음

여러 가지 기준에 따라 분류합니다. **?** 에 들어갈 그림을 찾아 ◯표 하세요.

모양

색깔

크기

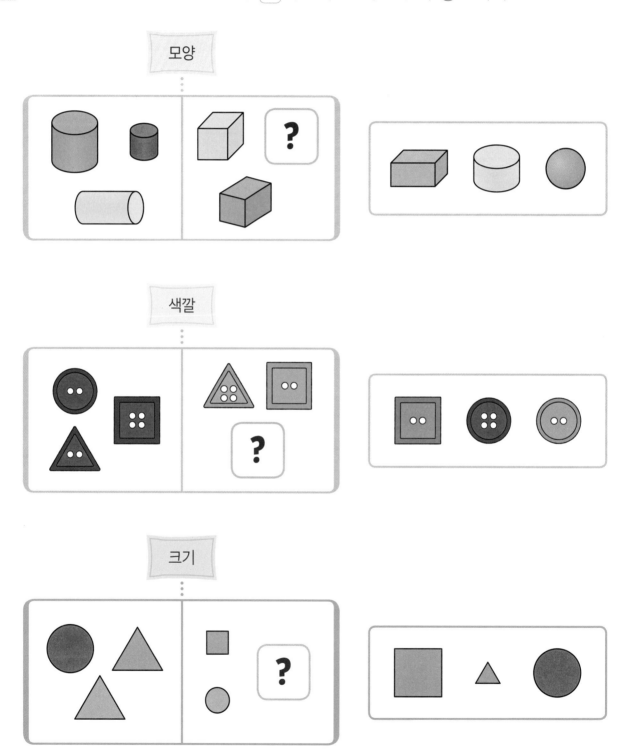

여러 가지 기준에 따라 분류합니다. ? 에 들어갈 그림을 찾아 ○표 하세요.

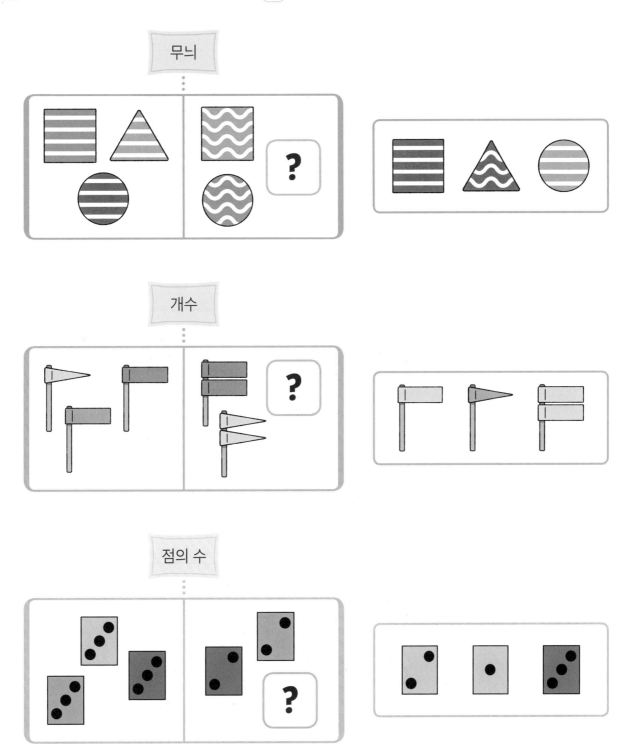

무늬

개수

점의 수

입체 모양을 여러 가지 기준에 따라 분류했습니다. 각 묶음에서 잘못 분류한 것을 1개씩 찾아 각각 ◯표 하고 선으로 이어 서로 바꾸어 보세요.

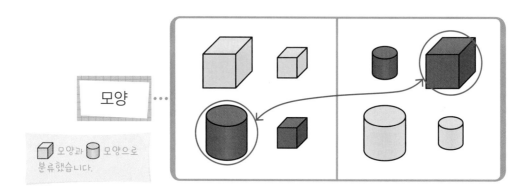

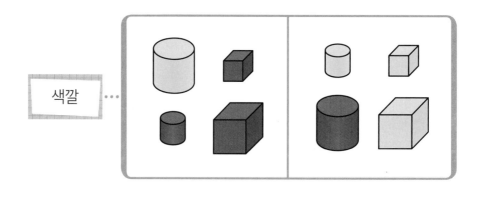

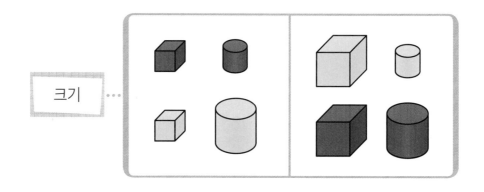

카드를 여러 가지 기준에 따라 분류했습니다. 각 묶음에서 잘못 분류한 것을 |개씩 찾아 각각 ○표 하고 선으로 이어 서로 바꾸어 보세요.

모양 ···
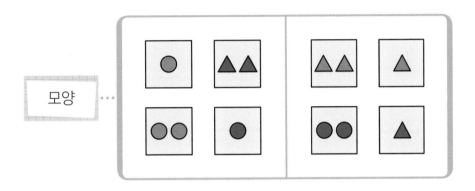

색깔 ···
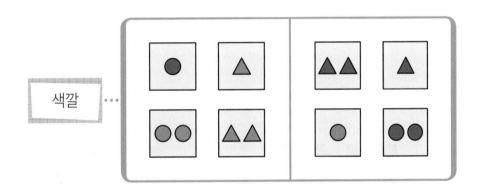

개수 ···
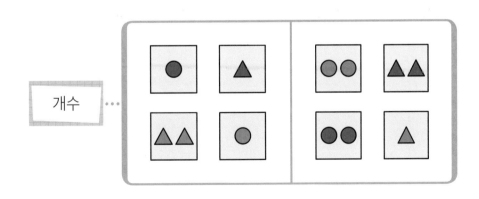

기준 찾기

단추를 어떤 기준에 따라 분류했습니다. 아래 기준 중에서 알맞은 말을 골라 빈칸에 써넣으세요.

파란색	구멍 **2**개	◯ 모양
⬜ 모양	빨간색	구멍 **4**개

4 주차

분류하기 2

■ 두 가지 속성에 알맞게 이어 보세요.

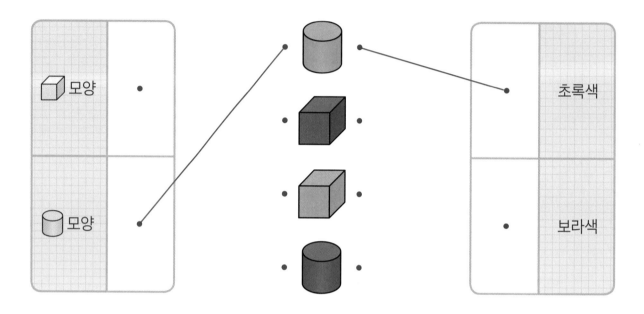

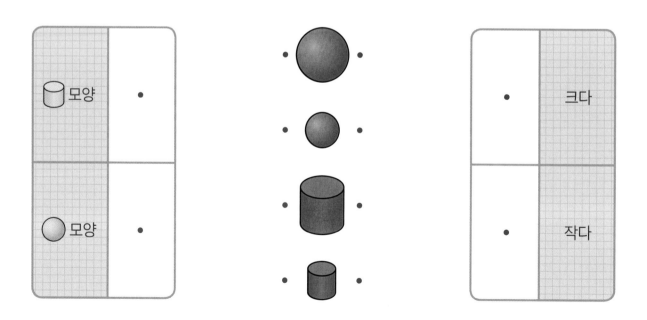

■ 두 가지 속성에 알맞게 이어 보세요.

◯ 모양

□ 모양

작다

크다

△ 모양

◯ 모양

노란색

파란색

■ 단추를 분류합니다. 빈 곳에 알맞게 번호를 써넣으세요.

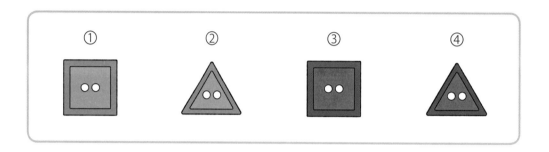

모양

■ 모양	▲ 모양
①,	

⬇

모양

	■ 모양	▲ 모양
색깔 빨간색		
색깔 파란색	①	

■ 모양칩을 분류합니다. 빈 곳에 알맞게 번호를 써넣으세요.

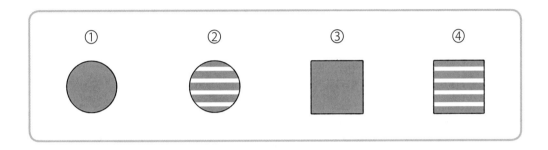

무늬	
무늬가 있음	무늬가 없음

↓

	무늬	
	무늬가 있음	무늬가 없음
⬤ 모양		
⬛ 모양		

모양

두 가지 속성으로 분류한 표입니다. 빈 곳에 알맞은 모양을 그리고 색칠해 보세요.

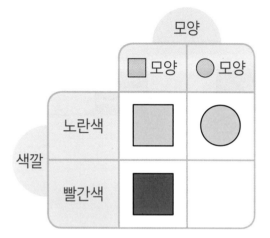

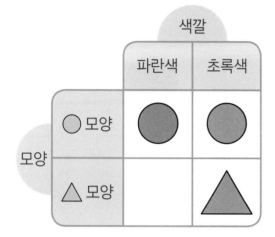

가로줄과 세로줄이 만나는 곳에 두 가지 속성을 모두 만족하는 것을 넣어 분류할 수 있습니다.

모양	◯ 모양	⬜ 모양
색깔 초록색	초록색 ◯ 모양	초록색 ⬜ 모양
노란색	노란색 ◯ 모양	노란색 ⬜ 모양

→

모양	◯ 모양	⬜ 모양
색깔 초록색	●	■
노란색	◯	⬜

■두 가지 속성으로 분류한 표입니다. 잘못 분류한 그림에 ✕표 하세요.

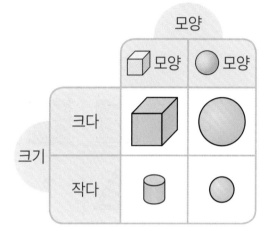

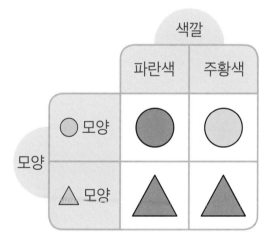

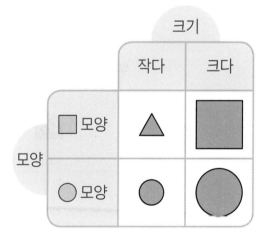

두 가지 속성으로 분류한 표입니다. ? 에 들어갈 그림에 ○표 하세요.

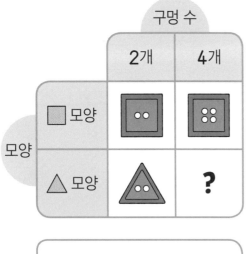

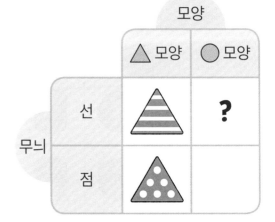

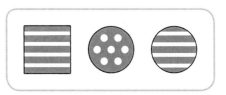

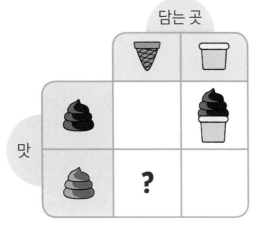

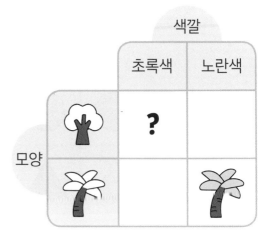

■ 두 가지 속성으로 분류합니다. 빈 곳에 알맞게 번호를 써넣으세요.

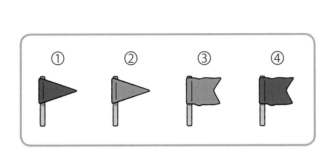

	색깔	
모양	보라색	주황색
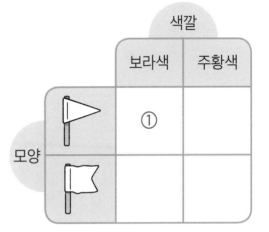	①	

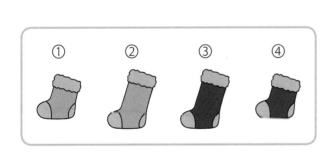

		색깔	
길이		초록색	빨간색
	길다		
	짧다		

여러 가지 속성을 보고 빈 곳에 알맞은 그림을 그려 넣으세요.

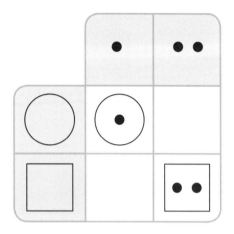

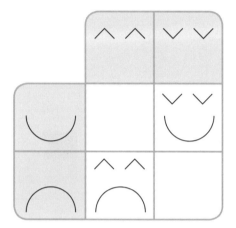

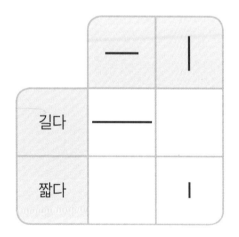

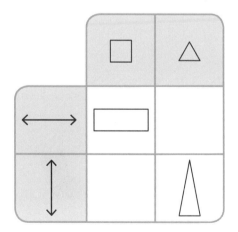

■ 여러 가지 속성을 보고 빈 곳에 알맞은 그림을 그려 넣으세요.

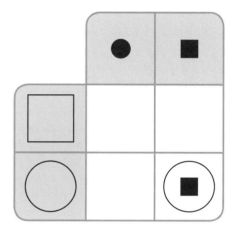

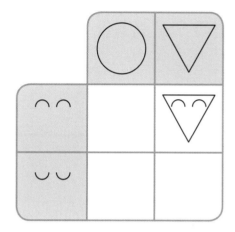

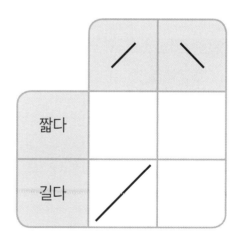

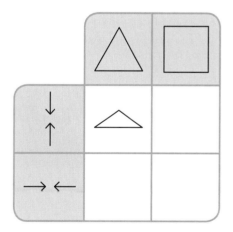

사슴이 좋아하는 과일

자음과 모음 속성을 보고 사슴이 좋아하는 과일을 써 보세요.

링크 여러 가지 속성

◢ 속성에 맞는 그림을 찾아 모두 ◯표 하세요.

| 날 수 있는 동물 |  |

| 걸어다니는 동물 |  |

| 바퀴가 있는 탈 것 |  |

◤ 속성에 맞는 그림을 찾아 모두 ◯표 하세요.

빨간색인 것 ······

손잡이가 있는 것 ······

뚜껑이 있는 것 ······

▨ 설명에 맞는 그림을 찾아 ◯표 하세요.

- 노란색입니다.
- 과일입니다.

- 모양입니다.
- 높이가 낮습니다.

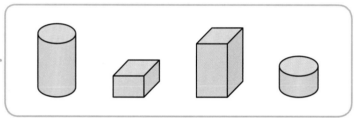

- 손잡이가 없습니다.
- 파란색입니다.

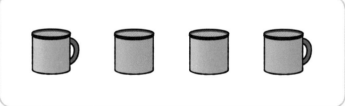

- 딸기맛입니다.
- 컵에 담겨 있습니다.

◤ 설명에 맞는 그림을 찾아 ◯표 하세요.

★ 모양 무늬가 **3**개
그려진 카드입니다.

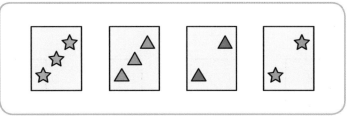

2보다 큰 수가 적힌
빨간색 깃발입니다.

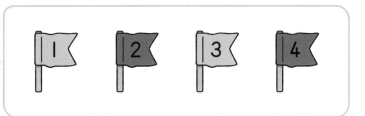

▲ 모양이고 구멍이
4개인 단추입니다.

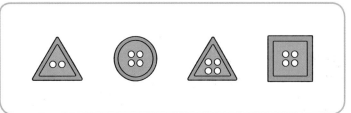

땅에서 활동하고
다리가 없는 동물입니다.

기준에 따라 분류합니다. 빈 곳에 알맞게 번호를 써넣으세요.

①	②	③	④	⑤	⑥
ㅎ	2	ㄹ	ㅂ	8	5

문자

글자	숫자
①,	

| ① | ② | ③ | ④ | ⑤ | ⑥ |

뿔

뿔이 있는 동물	뿔이 없는 동물

🔺 기준에 따라 분류합니다. 빈 곳에 알맞게 번호를 써넣으세요.

다리 수	다리가 없는 동물	다리가 **2**개인 동물	다리가 **4**개인 동물

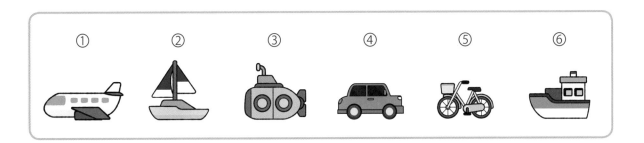

장소	바다에서 이용하는 탈 것	땅에서 이용하는 딜 것	하늘에서 이용하는 탈 것

memo

형성평가

1 빨간색인 것에 모두 ◯표 하세요.

2 △ 모양이면서 노란색인 것에 ◯표 하세요.

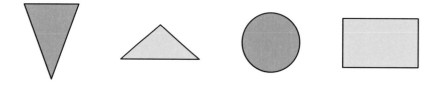

3 모양이 같은 단추 **3**개를 찾아 각각 번호를 써 보세요.

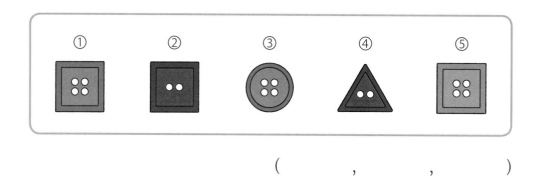

(,   ,   )

4 한 가지 속성이 같은 단추끼리 모으려고 합니다. 알맞게 이어 보세요.

5 두 가지 속성으로 분류한 표입니다. 잘못 분류한 그림에 ✕표 하세요.

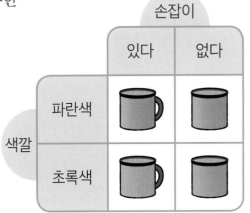

6 카드에 그려진 모양의 개수에 따라 분류했습니다. 각 묶음에서 잘못 분류한 카드를 l장씩 찾아 각각 ✕표 하세요.

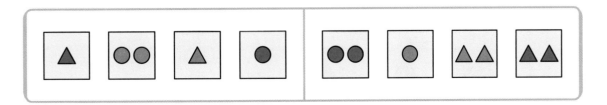

1 ◯ 모양인 것에 모두 ◯표 하세요.

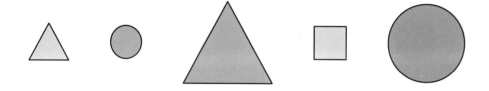

2 크기가 같은 것끼리 모았습니다. 잘못 모은 것 하나에 ✕표 하세요.

3 단추를 구멍 수에 따라 분류합니다. 빈 곳에 알맞게 번호를 써넣으세요.

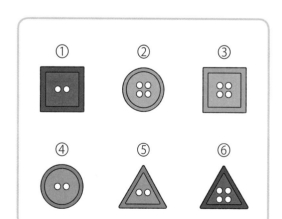

구멍 2개	
구멍 4개	

4 한 가지 속성이 같은 것끼리 모았습니다. 바르게 설명한 것에 ◯표 하세요.

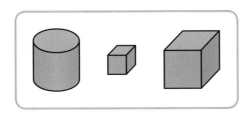

모양이 모양입니다. ·········· ( )

색깔이 파란색입니다. ·········· ( )

5 파란색이면서 구멍이 **2**개인 단추를 찾아 모두 ◯표 하세요.

6 두 가지 속성으로 분류한 표입니다. **?** 에 들어갈 그림에 ◯표 하세요.

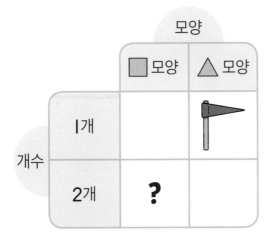

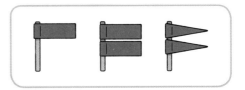

memo

초등 수학 핵심파트 집중 완성

교과특강

7세~초1

P 1

속성과 분류

정답

사고력
문제해결력

측정 · 규칙성
자료와 가능성

에듀히어로
Edu HERO

정답

....

P1

속성과 분류

1주차: 입체 모양의 속성

1일차 모양 속성

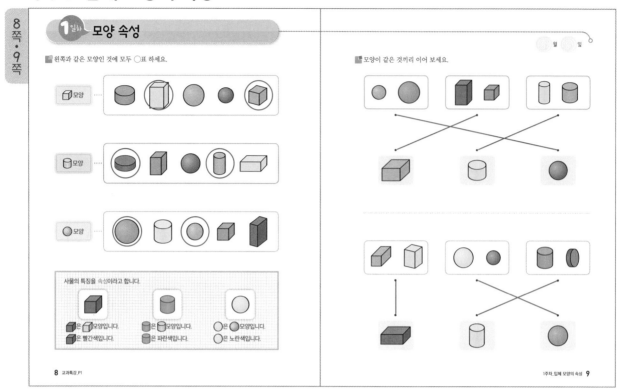

2일차 색깔 속성

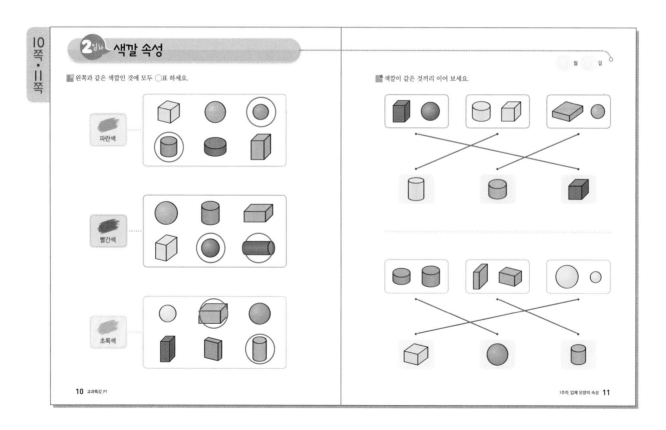

3일차 두 가지 속성

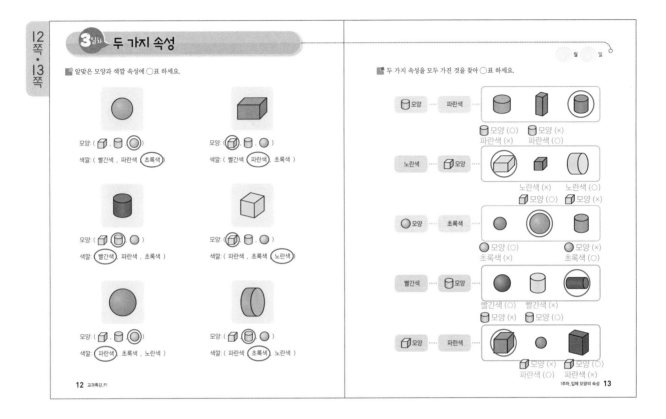

4일차 같은 속성 찾기 (1)

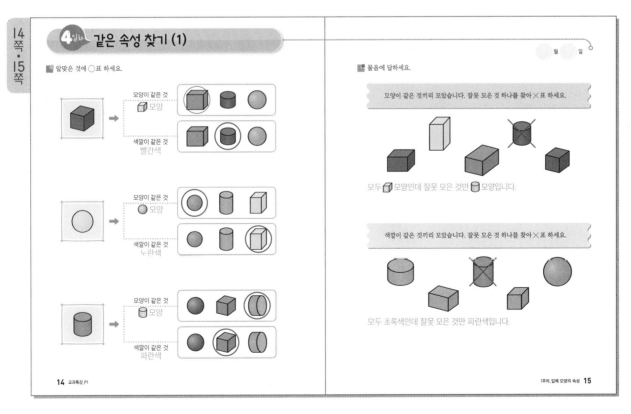

정답

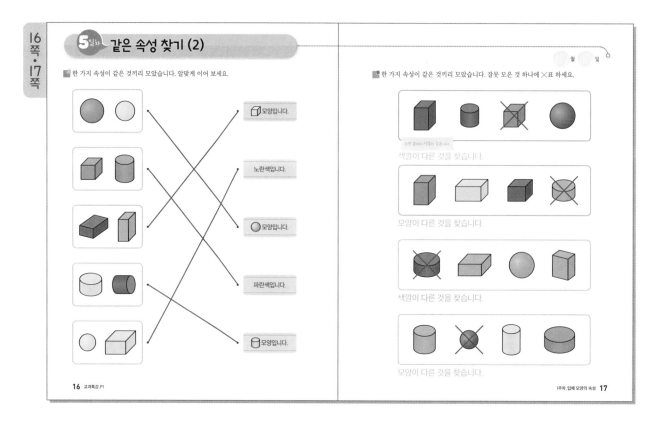

5일차 같은 속성 찾기 (2)

한 가지 속성이 같은 것끼리 모았습니다. 알맞게 이어 보세요.

🔲 모양입니다.

노란색입니다.

🔵 모양입니다.

파란색입니다.

🔲 모양입니다.

16 교과특강_P1

월 일

한 가지 속성이 같은 것끼리 모았습니다. 잘못 모은 것 하나에 ✕표 하세요.

색깔이 다른 것을 찾습니다.

모양이 다른 것을 찾습니다.

색깔이 다른 것을 찾습니다.

모양이 다른 것을 찾습니다.

1주차_입체 모양의 속성 **17**

생각 + 더하기

속성 릴레이

모양 또는 색깔 중 한 가지 속성이 같도록 입체 모양을 이어 놓았습니다.

? 에 들어갈 수 있는 모양을 찾아 모두 ○표 하세요.

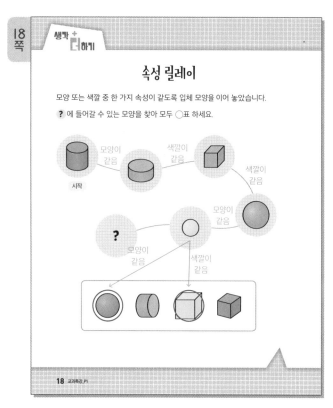

18 교과특강_P1

4 교과특강_P1

2주차: 평면 모양의 속성

1일차 단추의 속성

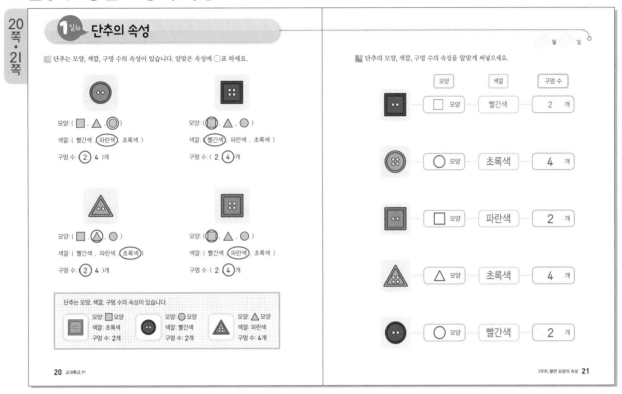

2일차 한 가지 속성

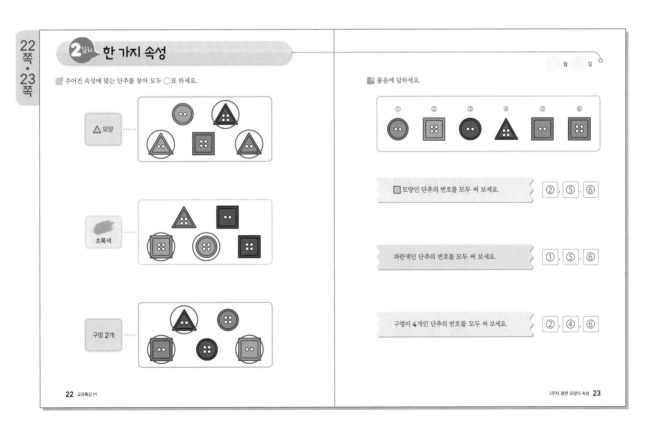

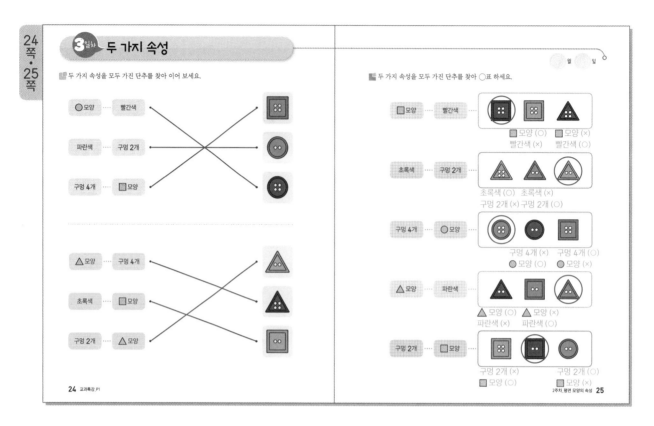

3일차 두 가지 속성

두 가지 속성을 모두 가진 단추를 찾아 이어 보세요.

두 가지 속성을 모두 가진 단추를 찾아 ○표 하세요.

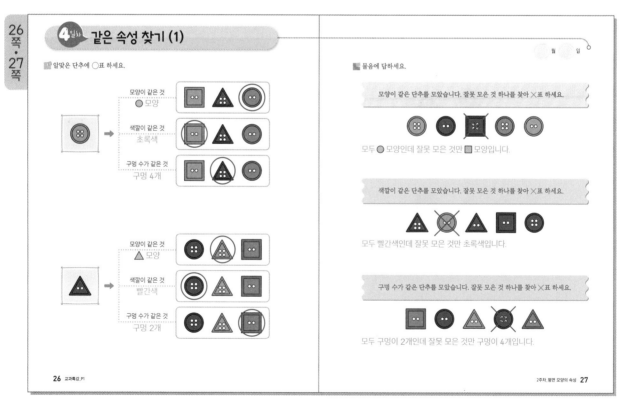

4일차 같은 속성 찾기 (1)

알맞은 단추에 ○표 하세요.

물음에 답하세요.

모양이 같은 단추를 모았습니다. 잘못 모은 것 하나를 찾아 ✕표 하세요.

모두 ● 모양인데 잘못 모은 것만 ■ 모양입니다.

색깔이 같은 단추를 모았습니다. 잘못 모은 것 하나를 찾아 ✕표 하세요.

모두 빨간색인데 잘못 모은 것만 초록색입니다.

구멍 수가 같은 단추를 모았습니다. 잘못 모은 것 하나를 찾아 ✕표 하세요.

모두 구멍이 2개인데 잘못 모은 것만 구멍이 4개입니다.

5일차 같은 속성 찾기 (2)

■ 세 단추에서 같은 속성을 찾아 이어 보세요.

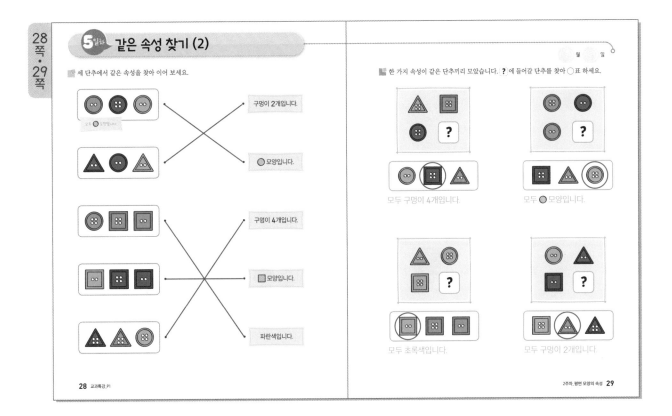

구멍이 2개입니다.

⬤ 모양입니다.

구멍이 4개입니다.

▢ 모양입니다.

파란색입니다.

■ 한 가지 속성이 같은 단추끼리 모았습니다. ? 에 들어갈 단추를 찾아 ◯표 하세요.

모두 구멍이 4개입니다.

모두 ⬤ 모양입니다.

모두 초록색입니다.

모두 구멍이 2개입니다.

생각 + 더하기

잘못 모은 단추

어떤 한 가지 속성이 같은 단추끼리 모았는데 단추 1개를 잘못 모았습니다.
잘못 모은 단추에 ✕표 하세요.

잘못 모은 단추 1개를 찾는 문제입니다.
모양은 ▢ △ ⬤ 모양이 있으므로 잘못 모은 1개를 찾을 수 없습니다.
색깔은 파란색, 초록색, 빨간색이 있으므로 잘못 모은 1개를 찾을 수 없습니다.
구멍 수는 단추 하나만 구멍이 4개이고 나머지는 모두 구멍이 2개이므로
구멍이 4개인 단추를 잘못 모았습니다.

단추의 모양, 색깔,
구멍 수를 잘 살펴봐.

3주차: 분류하기 1

1일차 모양에 따른 분류

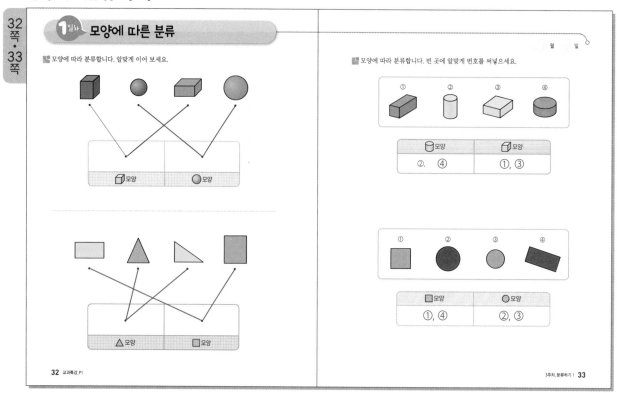

2일차 색깔에 따른 분류

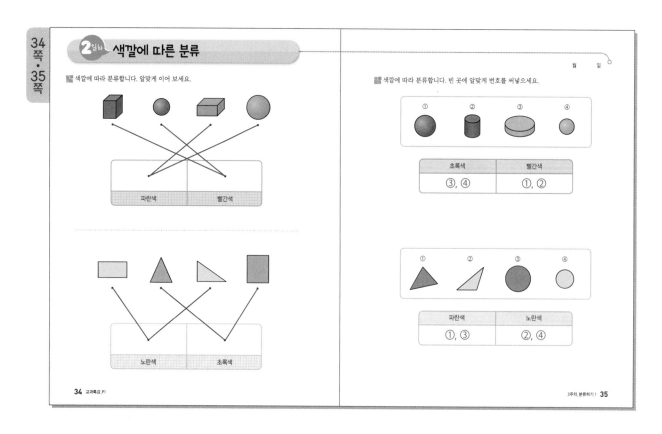

3일차 여러 가지 기준

여러 가지 기준에 따라 단추를 분류합니다. 빈 곳에 알맞게 번호를 써넣으세요.

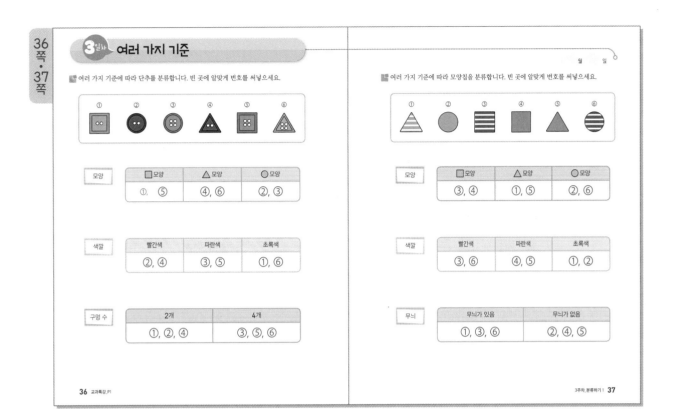

모양	□ 모양	△ 모양	○ 모양
	①, ⑤	④, ⑥	②, ③

색깔	빨간색	파란색	초록색
	②, ④	③, ⑤	①, ⑥

구멍 수	2개	4개
	①, ②, ④	③, ⑤, ⑥

여러 가지 기준에 따라 모양집을 분류합니다. 빈 곳에 알맞게 번호를 써넣으세요.

모양	□ 모양	△ 모양	○ 모양
	③, ④	①, ⑤	②, ⑥

색깔	빨간색	파란색	초록색
	③, ⑥	④, ⑤	①, ②

무늬	무늬가 있음	무늬가 없음
	①, ③, ⑥	②, ④, ⑤

4일차 분류 완성하기

여러 가지 기준에 따라 분류합니다. ? 에 들어갈 그림을 찾아 ○표 하세요.

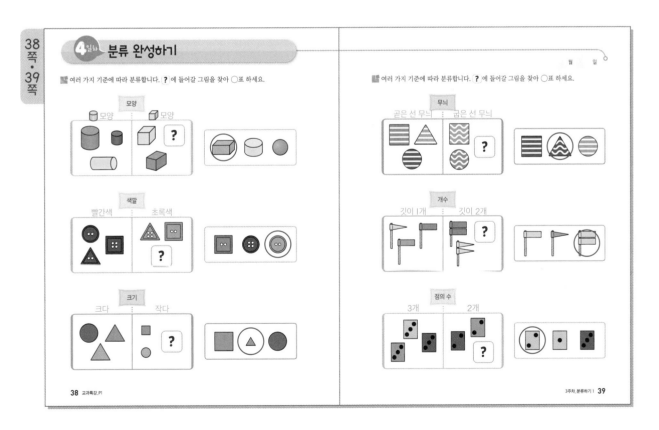

정답 **9**

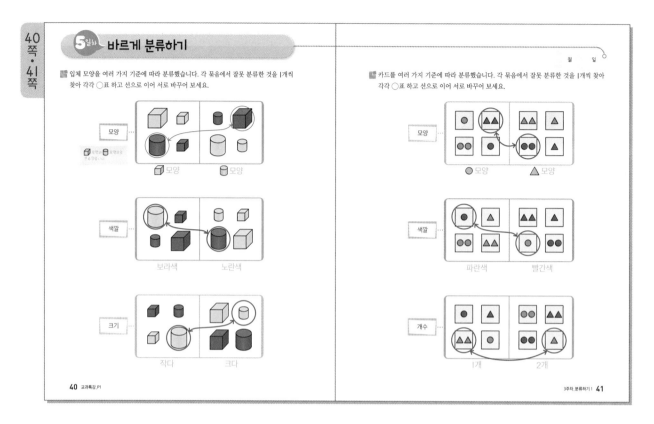

생각 + 더하기

기준 찾기

단추를 어떤 기준에 따라 분류했습니다. 아래 기준 중에서 알맞은 말을 골라
빈칸에 써넣으세요.

4주차: 분류하기 2

1일차 두 가지 속성

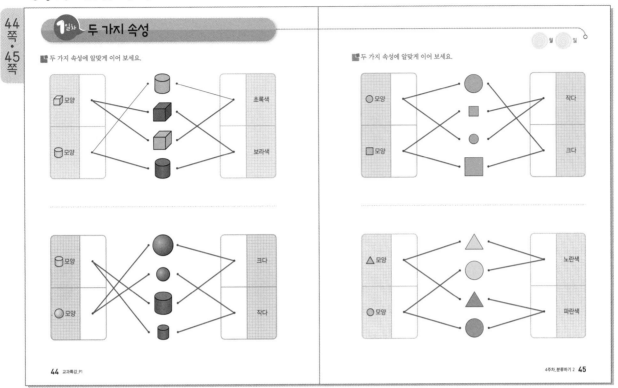

2일차 두 번 분류하기

■ 단추를 분류합니다. 빈 곳에 알맞게 번호를 써넣으세요.

■ 모양칩을 분류합니다. 빈 곳에 알맞게 번호를 써넣으세요.

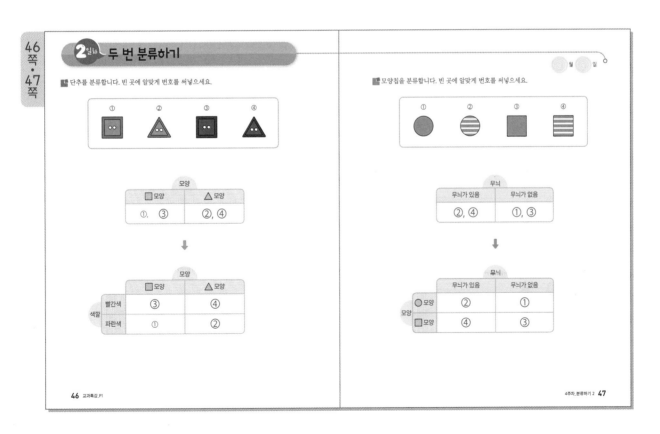

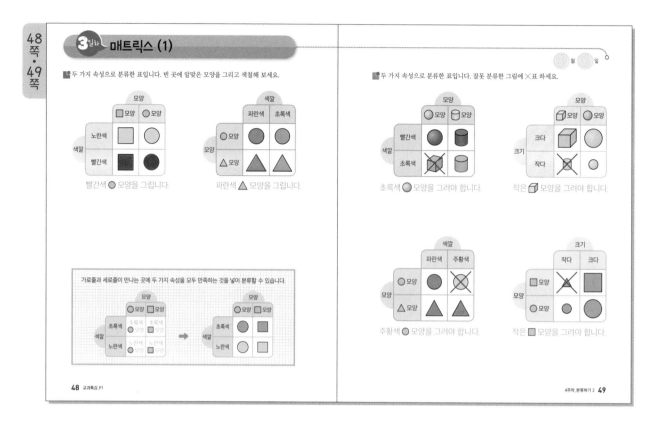

3일차 매트릭스 (1)

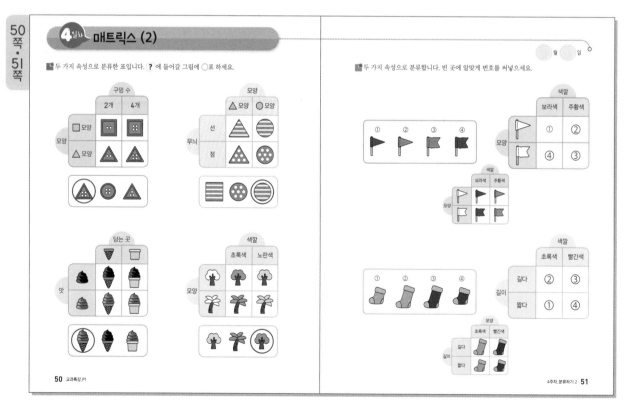

4일차 매트릭스 (2)

5일차 여러 가지 매트릭스

■ 여러 가지 속성을 보고 빈 곳에 알맞은 그림을 그려 넣으세요.

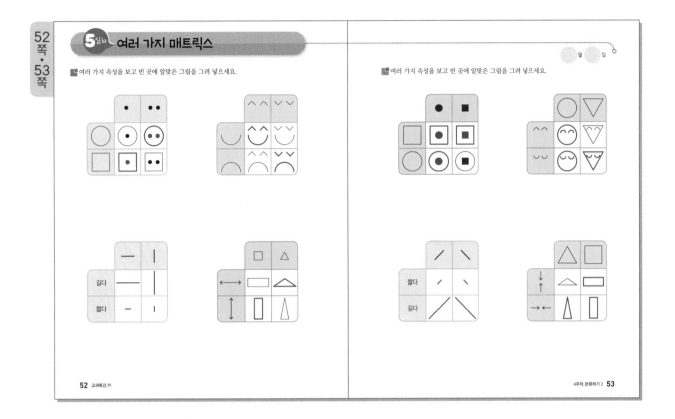

■ 여러 가지 속성을 보고 빈 곳에 알맞은 그림을 그려 넣으세요.

생각 더하기

사슴이 좋아하는 과일

자음과 모음 속성을 보고 사슴이 좋아하는 과일을 써 보세요.

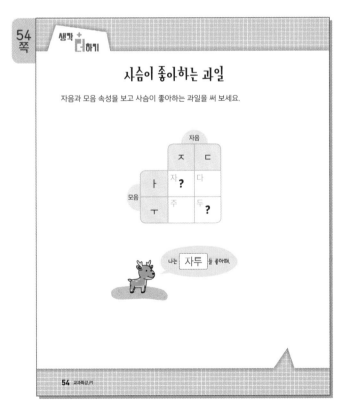

정답 **13**

링크: 여러 가지 속성

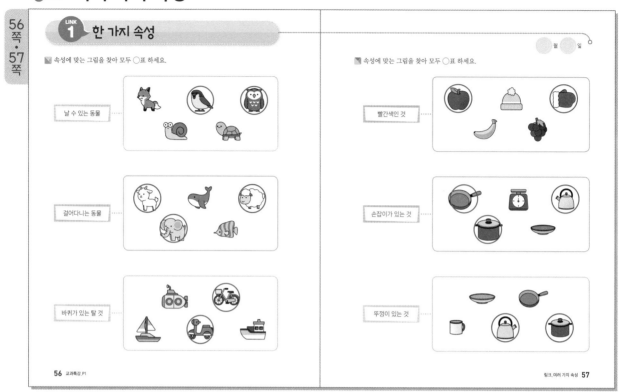

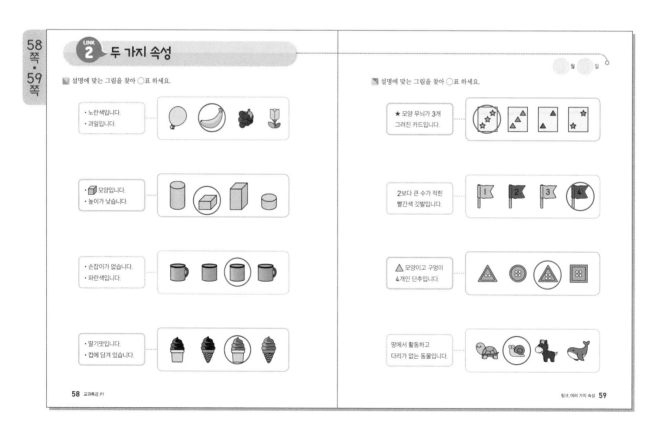

LINK 3 분류하기

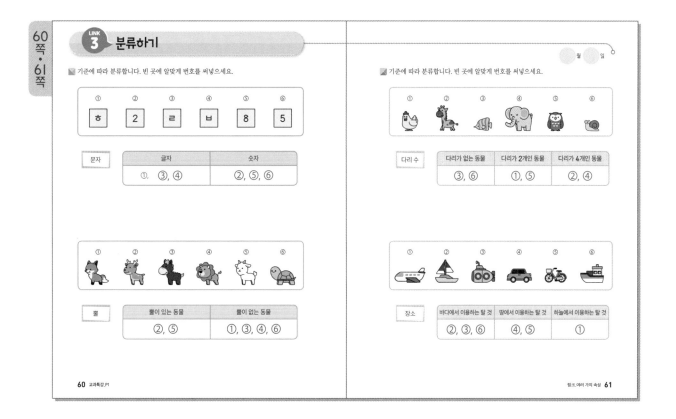

■ 기준에 따라 분류합니다. 빈 곳에 알맞게 번호를 써넣으세요.

문자

글자	숫자
①, ③, ④	②, ⑤, ⑥

뿔

뿔이 있는 동물	뿔이 없는 동물
②, ⑤	①, ③, ④, ⑥

■ 기준에 따라 분류합니다. 빈 곳에 알맞게 번호를 써넣으세요.

다리 수

다리가 없는 동물	다리가 2개인 동물	다리가 4개인 동물
③, ⑥	①, ⑤	②, ④

장소

바다에서 이용하는 탈 것	땅에서 이용하는 탈 것	하늘에서 이용하는 탈 것
②, ③, ⑥	④, ⑤	①

정답

형성평가

64 쪽 · 65 쪽

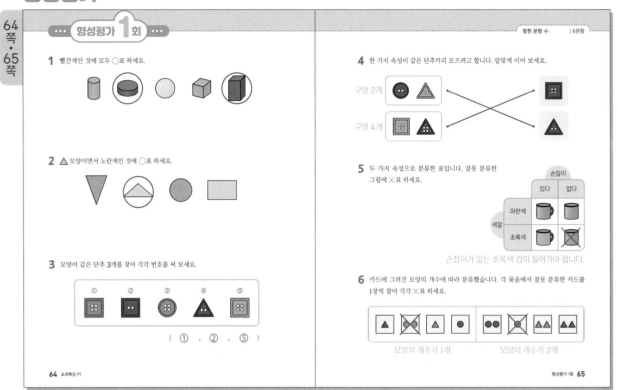

형성평가 1회

1 빨간색인 것에 모두 ◯표 하세요.

2 △ 모양이면서 노란색인 것에 ◯표 하세요.

3 모양이 같은 단추 3개를 찾아 각각 번호를 써 보세요.

(① , ② , ⑤)

맞힌 문항 수 : / 6문항

4 한 가지 속성이 같은 단추끼리 모으려고 합니다. 알맞게 이어 보세요.

구멍 2개

구멍 4개

5 두 가지 속성으로 분류한 표입니다. 잘못 분류한 그림에 ✕표 하세요.

손잡이가 없는 초록색 컵이 들어가야 합니다.

6 카드에 그려진 모양의 개수에 따라 분류했습니다. 각 묶음에서 잘못 분류한 카드를 1장씩 찾아 각각 ✕표 하세요.

모양의 개수가 1개   모양의 개수가 2개

64 교과특강_P1

형성평가 1회 65

---

66 쪽 · 67 쪽

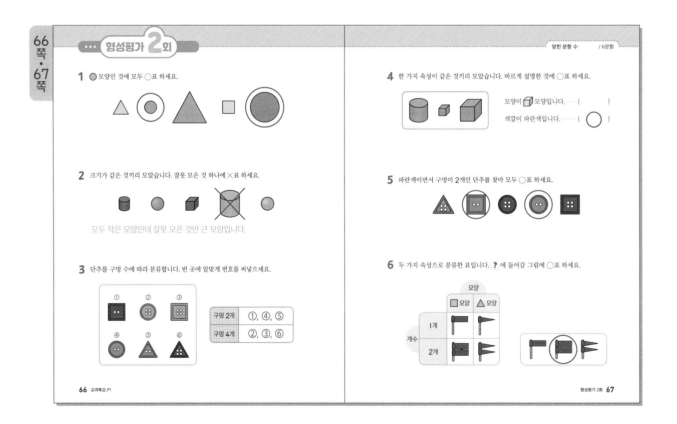

형성평가 2회

1 ◯모양인 것에 모두 ◯표 하세요.

2 크기가 같은 것끼리 모았습니다. 잘못 모은 것 하나에 ✕표 하세요.

모두 작은 모양인데 잘못 모은 것만 큰 모양입니다.

3 단추를 구멍 수에 따라 분류합니다. 빈 곳에 알맞게 번호를 써넣으세요.

| 구멍 2개 | ①, ④, ⑤ |
| 구멍 4개 | ②, ③, ⑥ |

맞힌 문항 수 : / 6문항

4 한 가지 속성이 같은 것끼리 모았습니다. 바르게 설명한 것에 ◯표 하세요.

모양이 ▢모양입니다. — ( )

색깔이 파란색입니다. — (◯)

5 파란색이면서 구멍이 2개인 단추를 찾아 모두 ◯표 하세요.

6 두 가지 속성으로 분류한 표입니다. **?** 에 들어갈 그림에 ◯표 하세요.

66 교과특강_P1

형성평가 2회 67

16 교과특강_P1

"교과수학을 완성합니다."

수와 도형의 배열에서 규칙을 찾아
사고력을 기릅니다.

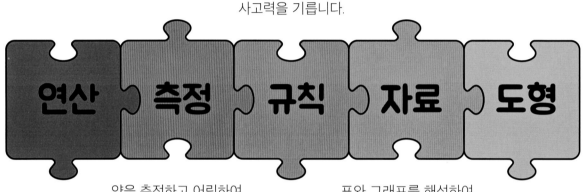

양을 측정하고 어림하여
실생활의 수 감각을 기릅니다.

표와 그래프를 해석하여
추론능력을 기릅니다.